LES ÉGYPTIENS

PAR

JOHN GUY

Y0-BQF-613

LES GRANDES PYRAMIDES

Les pyramides de Gizeh ont été construites il y a plus de 4500 ans. Elles sont un souvenir durable de l'une des plus grandes civilisations du monde antique.

Qui étaient les anciens Égyptiens ?

LA PREMIÈRE INDUSTRIE

La fusion permet d'extraire le métal de la roche. Elle a été inventée vers -4500 en Égypte et à Sumer. Ces ouvriers sont en train de fondre du cuivre. Ce métal servait à fabriquer des armes et des outils très résistants.

Vers 5000 avant notre ère, dans différentes parties du monde, des communautés ont formé les premières véritables civilisations, les cités-États. Toutes ces civilisations ont grandi près de grands fleuves. En Chine, elles sont apparues au bord du fleuve Jaune. Le fleuve Indus coule au Pakistan et dans le nord-ouest de l'Inde actuels. Il a donné vie à la civilisation harappienne. Le Tigre et l'Euphrate, deux fleuves du Moyen-Orient, forment ce qu'on appelle le Croissant fertile. La culture sumérienne est née sur ces riches terres. La civilisation égyptienne a fleuri sur les rives du Nil. Les Égyptiens lui adressaient la prière suivante : « Nous te saluons, ô Nil, toi qui jaillis ici de la terre, toi qui es venu pour garder l'Égypte en vie. »

L'ART DE LA POTERIE

Avant d'inventer le tour, les Égyptiens pressaient l'argile mouillée avec leurs mains. La boue noire et collante du Nil était facile à façonner. Elle prenait une couleur rouge en séchant.

LES DÉBUTS DE L'AGRICULTURE

L'agriculture s'est développée à peu près en même temps que les civilisations. La crue annuelle des fleuves, y compris du Nil, déposait un limon riche sur les terres environnantes. Les Égyptiens appelaient leur pays *kemet*, ou terre noire, à cause de ce limon fertile. D'autres disaient que l'Égypte était « le cadeau du Nil ».

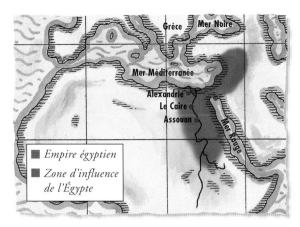

Empire égyptien

Zone d'influence de l'Égypte

UN ROYAUME UNIFIÉ

Au début, l'Égypte était formée de deux royaumes : la Basse-Égypte et la Haute-Égypte. Ces royaumes ont été réunis vers -3100. Au cours des deux millénaires suivants, l'Égypte a traversé trois périodes principales. Pendant l'Ancien Empire, les pyramides ont été bâties. Pendant le Moyen Empire, le commerce a pris de l'expansion. Le Nouvel Empire a été marqué par la conquête de nouveaux territoires.

DES ÉDIFICES MONUMENTAUX

Vers -2600, les Égyptiens ont commencé à construire de gigantesques pyramides de pierre. Les pharaons (rois d'Égypte) étaient enterrés dans ces pyramides avec des objets précieux. Ils devaient emporter ces choses dans l'au-delà. La Grande Pyramide de Gizeh (la plus haute sur la photo ci-dessus) a été construite vers -2551. Elle est faite de plus de 2 millions de blocs de pierre. Quelques siècles plus tard, les Égyptiens ont arrêté de bâtir des pyramides. Les pharaons étaient enterrés dans des tombes.

UN SYMBOLE DE VIE

Ce plat a la forme de la croix ansée, le symbole égyptien du souffle de vie. Les momies étaient souvent enterrées avec une croix ansée.

LA PREMIÈRE ÉCRITURE

Les premiers pictogrammes sont apparus à Sumer, au nord-est de l'Égypte, vers 3200 avant notre ère. Les Égyptiens ont ensuite inventé un système d'écriture basé sur les hiéroglyphes. Plus de 700 symboles représentaient différents sons et idées. Leur alphabet comptait 24 lettres.

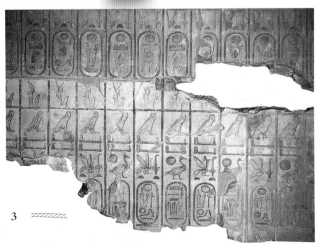

Les riches

Une bonne partie des objets de l'Égypte ancienne qui existent encore aujourd'hui montrent un luxe très grand. Les maisons et les objets quotidiens des pauvres étaient faits de matériaux peu solides. Ils n'ont pas résisté aux six millénaires qui ont passé depuis. Les édifices, les œuvres d'art et les objets qui ont survécu jusqu'à aujourd'hui sont magnifiques. Ils étaient réservés à la royauté, aux fonctionnaires, aux propriétaires terriens, aux nobles et aux prêtres. De plus, la plupart des écrits sont centrés sur les préoccupations des riches. Grâce à ces sources, on sait beaucoup de choses sur les riches de l'Égypte ancienne. Par exemple,

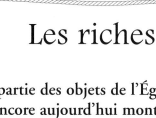

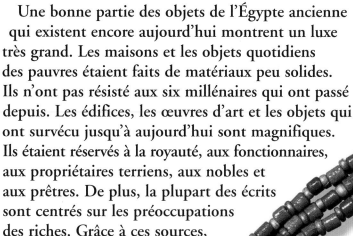

DES MEUBLES RICHEMENT DÉCORÉS

Seuls les riches pouvaient s'acheter des objets faits de bois importé. Beaucoup de meubles, comme cette chaise, étaient très décorés. Tous les meubles d'une maison appartenaient aux femmes.

certaines personnes possédaient deux maisons, l'une en ville et l'autre à la campagne. Cette dernière imitait souvent un palais royal.

Le confort et la propreté personnelle comptaient beaucoup pour les riches. Ils avaient de solides valeurs familiales. Les enfants étaient une grande source de joie. La plupart des familles riches avaient des serviteurs ou des esclaves qui faisaient pour eux les tâches quotidiennes.

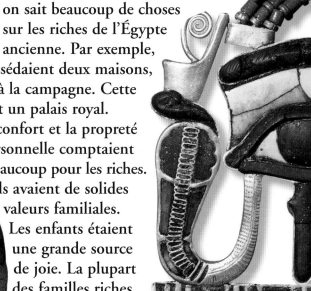

L'ART DU VERRE

Les Égyptiens étaient d'excellents souffleurs de verre. Ils fabriquaient aussi une porcelaine délicate, blanche ou colorée. Les riches achetaient des produits de luxe venant de pays étrangers. Les Égyptiens aimaient collectionner ces objets. Cette bouteille de parfum en verre était peut-être l'un des nombreux objets en forme de poisson d'une personne riche.

DES BIJOUX RAFFINÉS

Les bijoutiers égyptiens étaient très talentueux. Ils soudaient ensemble des bandes étroites de métal précieux pour obtenir des formes variées. Ce collier montre cette technique. Les Égyptiens aimaient surtout les bijoux en or et en pierres précieuses, comme la turquoise et l'améthyste. La plupart étaient aussi décorés de verre coloré et de céramique.

PAR COQUETTERIE

Les hommes autant que les femmes soignaient leur apparence. Chez les riches, les personnes des deux sexes portaient des perruques tressées et décorées. Elles étaient faites de laine ou de cheveux, collés avec de la cire d'abeille. Les femmes portaient souvent un cône de parfum sur la tête. Ce cône fondait en se réchauffant et son huile parfumée dégouttait sur leurs épaules.

DES MAISONS SPACIEUSES

Les riches habitaient dans de grandes maisons en brique et en plâtre à plusieurs étages. Les maisons étaient bâties sur une plateforme (à gauche de l'image) qui les protégeait de l'humidité. Les propriétaires vivaient au rez-de-chaussée, là où il faisait le plus frais. Les serviteurs cuisinaient en plein air sur le toit plat.

UNE VIE CONFORTABLE

Les maisons étaient confortables et meublées avec simplicité. Les riches aimaient les bois précieux et les tissus importés. Les meubles étaient souvent sculptés. Par exemple, les tables et les chaises avaient des pieds en forme de pattes de lion. Les tables étaient basses. La plupart des lits étaient en osier tissé très serré. Les Égyptiens dormaient sur des matelas rembourrés. Ils avaient des appuie-tête en bois, comme celui-ci, pour se reposer pendant la journée.

Les pauvres

Il y avait beaucoup plus de pauvres que de riches dans l'Égypte ancienne. Plus de 7 Égyptiens sur 10 étaient des paysans ou des ouvriers. Les paysans travaillaient dans les champs. Les ouvriers, y compris les esclaves, réalisaient les gigantesques constructions des pharaons. Ils se trouvaient tout en bas de l'échelle sociale. Une famille unie était pour eux la clé du bonheur. À l'adolescence, les enfants devenaient souvent serviteurs dans des familles riches. Quelques chanceux arrivaient à s'élever dans la société. Les maisons des pauvres, en ville ou à la campagne, étaient faites en briques de boue et de paille séchées. Les paysans les plus pauvres partageaient leur maison avec leurs animaux de ferme.

UNE SCÈNE INTEMPORELLE

Cette charrue moderne ressemble beaucoup à celle que les anciens Égyptiens employaient. Deux paysans travaillaient ensemble. L'un lançait les semences qu'il prenait dans un sac sur son épaule. L'autre les recouvrait à l'aide de la charrue. Juste après la crue annuelle, la terre qui bordait le Nil était assez molle pour que cette simple charrue soit efficace.

LES DÉPLACEMENTS

L'âne était le moyen de transport le plus courant chez les pauvres. Ceux qui étaient un peu plus riches se déplaçaient à dos de chameau ou en charrette. Voyager était difficile parce qu'il n'y avait pas beaucoup de routes. Pendant toute leur vie, beaucoup de gens n'allaient pas plus loin que le marché local. Aujourd'hui, les ânes sont encore le moyen de transport principal des pauvres dans les régions éloignées de l'Égypte.

DES MAISONS SIMPLES

Cette maquette montre une maison typique des Égyptiens pauvres, avec une porte en forme d'arche et de petites fenêtres pour conserver la fraîcheur. Des maquettes d'argile comme celle-ci étaient enterrées avec leurs propriétaires pour qu'ils l'utilisent dans leur prochaine vie.

UNE MESURE DE LA RICHESSE

Beaucoup de fermiers craignaient la visite annuelle des fonctionnaires. Ceux-ci leur indiquaient les impôts qu'ils devaient au gouvernement. Le nombre d'animaux, surtout de bovins, que possédait un fermier était une mesure de sa richesse. Les fonctionnaires déroulaient de la corde pour mesurer les champs d'un fermier. Des scribes notaient les détails et le fermier était imposé en conséquence. Avant l'invention de la monnaie, les fermiers payaient leurs impôts en donnant une partie de leurs récoltes ou d'autres objets.

LE COMMERCE DES ESCLAVES

Comme dans la plupart des civilisations anciennes, les Égyptiens avaient des esclaves pour faire leurs tâches quotidiennes. La plupart venaient d'autres pays sous la domination de l'Égypte, comme la Nubie, l'Éthiopie ou le Liban. Certains esclaves travaillaient comme serviteurs auprès des riches. Toutefois, il semble que beaucoup faisaient partie de l'armée d'ouvriers qui ont construit les pyramides et les autres édifices. Les travailleurs non qualifiés s'occupaient des champs au moment des semences.

UN TRAVAIL DIFFICILE

Cette peinture murale a été trouvée dans une tombe de Thèbes. Elle a plus de 3000 ans. La charrue qu'on y voit est très semblable à celle montrée en haut de la page 6. Le fermier chasse les mouches et dirige le bœuf avec un fouet en papyrus. Les épouses travaillaient souvent aux côtés de leur mari.

« LA VIE, LA SANTÉ, LA FORCE ! »

Ces mots comptaient parmi les nombreux souhaits que les convives s'échangeaient lors des banquets. En général, les hommes et les femmes s'assoyaient dans des coins opposés de la pièce. La nourriture était variée et abondante.

LE VIN ET LA BIÈRE

Les Égyptiens cultivaient du raisin pour le manger et pour en faire du vin. Peu de gens étaient assez riches pour boire du vin régulièrement. Mais tout le monde, y compris les enfants, buvait de la bière. La bière était faite avec de l'orge et des dattes. Elle n'était pas très alcoolisée. Elle était épaisse et se buvait avec une paille.

POUR SUCRER LE TOUT

Pour sucrer leurs aliments, les Égyptiens y ajoutaient de la purée de dattes ou d'autres fruits. Ils y mettaient aussi de la caroube et du miel (le hiéroglyphe qui veut dire « sucré » est une gousse de caroube). Les abeilles étaient gardées dans des ruches coniques en céramique comme celles-ci.

UNE AFFAIRE DE FAMILLE

Ce détail d'une peinture murale montre un couple travaillant au champ. Chaque famille cultivait ses aliments. S'il restait de la nourriture une fois les impôts payés, les fermiers la vendaient au marché. On croit que les Égyptiens ont inventé la première charrue tirée par un bœuf vers -3100.

L'alimentation

La plupart des Égyptiens mangeaient à leur faim.
Mais, ils n'étaient jamais certains d'avoir toujours
à manger. Si la crue du Nil était trop grosse
ou trop faible, il leur arrivait de manquer
de nourriture pendant l'année. Parfois,
les insectes détruisaient les récoltes. Toutefois,
en général, les Égyptiens mangeaient une
nourriture variée. Elle comprenait de la viande
d'animaux qu'ils élevaient ou chassaient, et
du poisson pêché dans le Nil. Les Égyptiens
élevaient des poulets afin d'avoir une abondante
réserve de volaille. Les oignons, les poireaux,
les navets et l'ail sont quelques-uns des nombreux
légumes qu'ils cultivaient. Ils aimaient tellement
l'ail qu'ils en enterraient parfois avec les morts
pour leur vie dans l'au-delà. Ils mangeaient aussi
beaucoup de fruits, comme le raisin, les figues,
les dattes et les grenades. Le vin était très
apprécié, surtout par
les riches. Il était conservé dans des poteries scellées
avec de l'argile. Les Égyptiens de toutes les classes
sociales aimaient manger et boire. Dans un banquet,
les hôtes s'efforçaient de nourrir leurs invités
aussi bien que leurs moyens le permettaient.
Ils croyaient ainsi gagner l'admiration
des autres et les louanges des dieux.

LE BOUCHER

Les riches mangeaient du mouton,
du boeuf et du poulet. Ils chassaient
aussi les animaux sauvages, comme
cette antilope. Les animaux étaient
sacrifiés aux dieux. Les bouchers
suivaient un rituel strict pour leur
présenter ces offrandes.

DES FOYERS
EN PLEIN AIR

Les Égyptiens cuisaient leurs
aliments dans des fours en argile
ou sur des feux de charbon en plein
air. Le bois d'allumage était
rare. Les feux étaient
donc entretenus
soigneusement.
Le garçon
représenté
dans cette
sculpture en bois
évente un feu. Il fera
bientôt cuire
un canard.

UN ALIMENT VITAL

Le pain était l'aliment de base.
En fait, les Égyptiens avaient
une quinzaine de mots pour
désigner le pain. Celui-ci était fait
avec de la farine d'orge et de blé.
Il était cuit dans des moules ronds
couverts. Cette image montre
un fonctionnaire mesurant
un champ de blé.

Les loisirs

Une bonne partie de la vie des Égyptiens était consacrée aux loisirs. Contrairement à d'autres civilisations anciennes, il y avait peu de divertissements publics. Il n'y avait pas de stade où se rassembler pour des événements sportifs. Cependant, chaque année, des cérémonies religieuses réunissaient des communautés entières. En général, les Égyptiens faisaient des activités individuelles ou familiales.
Ils adoraient les repas, la musique, la danse, les jeux athlétiques, les jeux de société, les histoires et la chasse. Contrairement à d'autres cultures anciennes, les hommes et les femmes s'amusaient ensemble, comme des égaux. Chaque classe sociale consacrait du temps à des passe-temps agréables. Mais les riches avaient le temps et l'argent nécessaires pour des distractions coûteuses.

EN FORME

Cette sculpture montre deux jeunes hommes pratiquant la boxe. Elle a été trouvée dans le temple de Ramsès III. Les Égyptiens appréciaient les bienfaits de l'exercice pour la santé. La lutte, la gymnastique et les joutes à bord de bateaux étaient d'autres sports populaires.

LES TZIGANES

Les Tziganes modernes pourraient bien être les descendants des Égyptiens qui ont fui leur pays quand les Grecs l'ont envahi. Beaucoup de passe-temps des Tziganes, comme les courses de chevaux, les chants et les danses en groupe, étaient peut-être pratiqués dans l'Égypte ancienne.

DES DANSEUSES DE TALENT

Un banquet donné par le pharaon ou par un noble n'aurait pas été complet sans chants ni danses. Des servantes suivaient un entraînement rigoureux. Ensuite elles dansaient pour les invités.
Des gymnastes et des jongleurs donnaient aussi un spectacle, souvent au son des flûtes, des harpes et des cymbales.

LA PREMIÈRE HARPE

Les Égyptiens ont
peut-être inventé la harpe
(montrée à gauche) vers
-3100. Ils fabriquaient
des harpes de toutes
les tailles. Certaines étaient
plus grandes que la personne
qui en jouait. La musique égyptienne avait
souvent un rythme entraînant. Les auditeurs
faisaient claquer leurs doigts ou frappaient
dans leurs mains en cadence.

LE SENET

Ce jeu de senet en bois sculpté a un tiroir
pour ranger les pièces. Il date d'environ
-1200. Un jeu de senet en ébène et en ivoire
a été trouvé dans la tombe
de Toutankhamon.

LES JEUX
DE SOCIÉTÉ

Le senet était le jeu
le plus populaire
en Égypte. Deux joueurs
essayaient d'atteindre
le royaume des dieux
en avançant leurs pions.
Ce jeu de senet a été dessiné sur une feuille de papyrus.
Le jeu du chien et du chacal était aussi populaire.
Les joueurs déplaçaient des pions qui avaient la forme
de ces animaux sur un plateau percé de 58 trous.
Pour déterminer leurs mouvements, les Égyptiens
lançaient des bâtonnets plutôt que des dés.

LES VALEURS FAMILIALES

Tous les membres de la société égyptienne
accordaient une grande valeur à la famille
et aux enfants. Pour les riches, aller
à la chasse sportive tout un après-midi était
l'une des plus belles activités familiales.
Les Égyptiens étaient de merveilleux
conteurs. Aînés et enfants,
hommes et femmes, tous
adoraient entendre les récits
des exploits des dieux.

Les vêtements et les accessoires

LES COIFFURES

Les hommes et les femmes portaient les cheveux courts ou rasés sous une perruque. Certaines coiffures étaient réservées aux occasions spéciales. Ce pouvait être des chapeaux recherchés ou des perruques de cheveux finement tressés. Souvent elles étaient décorées de bijoux. Les pauvres portaient une calotte ou un bonnet pour travailler sous le soleil ardent.

Les Égyptiens attachaient de l'importance à la propreté et à l'apparence. Ils se lavaient plusieurs fois par jour. Les riches passaient du temps chaque matin avec leurs serviteurs. Ceux-ci leur coupaient les cheveux et les coiffaient. Ils taillaient leurs ongles, adoucissaient leurs mains et enduisaient leur corps d'huiles parfumées. Les plus pauvres allaient voir des barbiers qui travaillaient dehors. Tout en attendant leur tour sous les arbres, ils bavardaient avec leurs voisins pour apprendre les dernières nouvelles. Les hommes et les femmes, même pauvres, portaient des bijoux et se maquillaient les yeux.

En raison du climat très chaud, les vêtements étaient simples, légers et amples. En général, les hommes portaient une jupe courte. Les femmes enfilaient une simple jupe ou une longue robe plissée et enroulée autour de leur corps. Beaucoup d'enfants allaient nus jusqu'à l'âge de 12 ans.

LES ACCESSOIRES DU COIFFEUR

Les perruques et les cheveux postiches étaient fixés sur la tête avec des épingles en bois ou en os. Les peignes aux dents fines étaient en bois ou, comme celui qui est montré ici, en ivoire. Il fallait beaucoup de soin et d'habileté pour fabriquer les perruques finement tressées.

VÉRITABLE EXTRAIT DE VIANDE LIEBIG.

Histoire du papier. 2.
Fabricants de papier égyptiens.

LES CHAUSSURES

Quand ils n'allaient pas pieds nus, les gens portaient de simples sandales avec une lanière entre les orteils. La plupart des sandales étaient faites avec des tiges de papyrus. Cette image montre des hommes fabriquant des feuilles de papyrus. Les Égyptiens portaient aussi des sandales de cuir. Quelques-uns parmi les très riches possédaient même des sandales en or.

LE MAQUILLAGE

Les hommes et les femmes se maquillaient. Le fard protégeait les yeux du soleil. Le maquillage était conservé dans des contenants fantaisistes comme celui-ci. Divers minéraux étaient moulus pour obtenir une pâte. Le fard vert pour les yeux, fait avec de la malachite, était le plus populaire.

DES BIJOUX MERVEILLEUX

Les pauvres portaient des bijoux faits avec des métaux peu coûteux ou des coquillages, souvent décorés de morceaux d'argile peints de couleurs vives. Les riches avaient des bijoux en or avec des pierres précieuses. Certains portaient des tresses ornées de bijoux et fixées à un bandeau. Ces tresses pendaient de chaque côté de leur visage. Les bijoutiers égyptiens étaient très habiles pour travailler le métal. Ce collier d'or et de lapis-lazuli (à gauche) et cet ornement de poitrine (à droite) proviennent de la tombe de Toutankhamon.

DU LIN FRAIS

La plupart des vêtements pour hommes et pour femmes étaient en lin. Ce tissu était léger, aéré et tissé très finement. Cette tunique vieille de 5000 ans est peut-être le plus vieux vêtement du monde qui a survécu jusqu'à aujourd'hui.

L'art et l'architecture

Les Égyptiens ont fait avancer l'architecture. Ils ont peut-être été les premiers à construire des monuments en pierre. Ils ont bâti certaines des plus grosses structures du monde antique, les pyramides. Les pyramides étaient des lieux de sépulture pour les pharaons.

Dans les temps anciens, les tombes étaient de simples trous. Plus tard, elles ont été surmontées de tas de sable. Ensuite, les Égyptiens ont construit des tombes rectangulaires et plates avec des briques de boue. Avec le temps, ils ont ajouté de plus en plus d'étages. Chaque nouvel étage était un peu plus étroit que le précédent. Ces tombes ont fini par former des pyramides qui s'élevaient

UN ART MONUMENTAL

Cette image montre la tête d'une statue gigantesque du roi Ramsès II. Cette statue se trouve à Louksor. Elle a été sculptée dans un seul bloc de pierre, le plus gros jamais vu en Égypte. Ramsès lui-même se trouvait dans la carrière quand le bloc a été découvert. Les travailleurs de la carrière ont cru que la présence du pharaon l'avait fait apparaître. En moins d'un an, ces travailleurs bien payés ont transformé l'énorme bloc en une statue colossale de Ramsès.

vers le ciel. Les dernières construites étaient de vraies pyramides : leurs côtés étaient lisses. Les temples pour les dieux étaient aussi des édifices impressionnants. D'énormes sculptures, la plupart représentant des pharaons, gardaient leur entrée. Les statues ne sont que l'une des formes d'art créées par les Égyptiens. Ceux-ci ont également réalisé des peintures murales colorées en suivant des mesures très précises. Les poteries et les bijoux égyptiens étaient aussi faits avec art.

LE DESSIN ET L'ÉCRITURE

Pour les Égyptiens, le dessin et l'écriture étaient presque la même chose. Leurs peintures et leurs sculptures murales, comme leurs hiéroglyphes, racontaient des histoires. Les artistes idéalisaient leurs sujets plutôt que de montrer de quoi ils avaient vraiment l'air.

LE TEMPLE D'ABOU SIMBEL

Ramsès II a gouverné l'Égypte pendant plus de 60 ans. À Abou Simbel, dans le haut Nil, il a fait construire un temple sur le flanc d'une montagne. Ce temple lui était dédié ainsi qu'au dieu Amon-Rê. Il est placé de telle sorte que la lumière du soleil l'inonde deux fois par année, le premier jour du printemps et de l'automne. Quatre énormes statues de Ramsès gardent l'entrée du temple.

LES OBÉLISQUES

Les obélisques sont de hauts piliers pointus, sculptés dans un seul bloc de pierre. En général, ils étaient placés par deux à l'entrée des temples et des tombeaux.

Les hiéroglyphes sculptés sur leurs faces indiquaient qui avait construit l'édifice et à quel dieu il était dédié. Celui-ci et les statues de Ramsès II (à gauche) se trouvent à Louxor.

LE GRAND HALL

Cette image montre un grand hall à l'intérieur du temple construit par Ramsès II à Karnak. Le toit était en blocs de pierre soutenus par des piliers. Il faisait très noir à l'intérieur. La lumière entrait par des fenêtres traversées par des barres verticales (en haut, au centre).

LES PYRAMIDES

Les pyramides de Gizeh ont été bâties pour servir de tombeaux aux pharaons égyptiens. La Grande Pyramide (schéma à droite) a été construite vers -2551 par le roi Khéops. Elle fait 147 mètres de hauteur. Elle compte 2,5 millions de blocs de pierre pesant chacun plus de 2 tonnes. Elle a été si bien construite que sa base présente une différence de niveau de moins de 2,1 cm. Les pharaons demandaient aux soldats de réaliser ces projets colossaux. Les Égyptiens étaient rarement en guerre. Les soldats étaient donc libres de participer aux chantiers de construction.

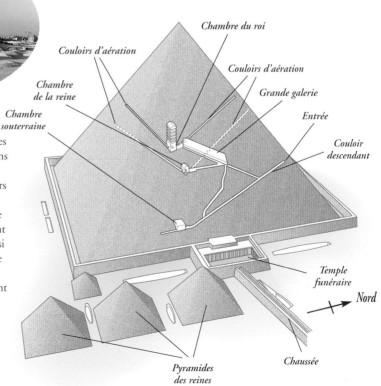

Chambre du roi

Couloirs d'aération

Couloirs d'aération

Grande galerie

Chambre de la reine

Entrée

Chambre souterraine

Couloir descendant

Temple funéraire

Nord

Pyramides des reines

Chaussée

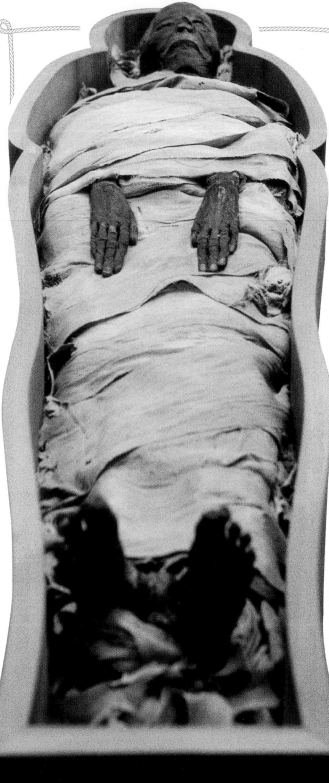

L'EMBAUMEMENT

Les embaumeurs préparaient les momies. Avant d'envelopper le corps, ils retiraient certains organes internes. Ils sortaient le cerveau par les narines à l'aide d'un crochet. Ensuite, ils plaçaient les organes dans des vases. Ceci avait pour but de permettre au mort de retrouver ses organes dans l'au-delà.

LES PRÊTRES MÉDECINS

Le temple d'Edfou (ci-dessus) était l'un des nombreux temples où les gens allaient se faire soigner. Les anciens Égyptiens croyaient que la maladie était causée par les mauvais esprits. Pour cette raison, seuls les prêtres avaient le droit de soigner les malades. Plus tard, des médecins ont appris la science de la guérison.

L'ÉTUDE DES ANIMAUX

Les Égyptiens croyaient qu'il y avait une vie après la mort. C'est pourquoi les médecins n'avaient pas le droit de disséquer les corps humains. Ils étudiaient donc l'anatomie sur des animaux. Ils comprenaient que le cœur était le centre du système sanguin. Ils connaissaient aussi la fonction des principaux organes, y compris le cerveau.

La santé

La médecine était un mélange de science et de magie. Les Égyptiens comprenaient le fonctionnement de certains systèmes du corps humain, comme la circulation du sang. Mais leurs expériences en boucherie leur en avaient appris davantage sur le corps des animaux que sur celui des humains. En fait, leurs peintures murales montrent parfois des organes d'animaux dessinés dans le corps d'un humain. Les Égyptiens savaient comment fixer un os cassé à une attelle pour qu'il guérisse bien. Ils utilisaient des plantes, surtout l'ail, pour guérir certaines maladies courantes. Mais la magie servait souvent de seul remède. Par exemple, une personne qui souffrait de maux de tête devait prier devant un crocodile en argile tenant une graine entre ses dents. Les rituels de guérison avaient lieu dans les temples. Les malades faisaient des offrandes aux dieux pour favoriser leur guérison. Les médecins étaient formés dans une partie du temple appelée Maison de vie. Les Égyptiens vivaient entre 30 et 35 ans en moyenne.

LE DENTISTE

Ce relief date d'environ 2700 avant notre ère. Il montre le dentiste et médecin en chef d'un pharaon. L'étude des momies a démontré que les Égyptiens avaient d'excellents dentistes. Ils savaient comment soigner les caries. Ils fabriquaient des ponts en or entre les dents.

LA PROPAGATION DES MICROBES

De nombreux virus étaient transmis par les mains. D'autres étaient transportés par des mouches ou d'autres insectes. La propreté était et est encore une bonne manière d'empêcher la propagation des microbes. Les prêtres obéissaient à des règles d'hygiène strictes. Ils se lavaient les mains souvent et se rasaient la tête.

LA MAGIE DU LOTUS

La fleur de lotus était un symbole important pour les Égyptiens. Ils croyaient que le dieu-soleil était né dans une fleur de lotus. Le parfum du lotus sacré était supposé protéger contre les maladies.

Le mariage

Nous croyons que les mariages des membres d'une même famille étaient parfois permis dans l'Égypte ancienne, surtout parmi la royauté. Dans la religion, le dieu de la terre Geb (ci-dessus) a épousé sa sœur Nout, la déesse du ciel.

Dans beaucoup de cultures anciennes, les jeunes gens ne choisissaient pas la personne qu'ils allaient épouser. En Égypte, la loi donnait aux jeunes filles le droit de choisir leur fiancé. Dans les faits, la plupart des mariages étaient arrangés par les parents de manière à accroître leur fortune. Les fillettes se mariaient dès l'âge de 12 ans, les garçons un peu plus tard. Il n'existait pas de cérémonie de mariage officielle. Il suffisait que les deux partenaires soient consentants. La famille donnait habituellement une grande fête. Les époux recevaient de nombreux cadeaux. La plupart étaient des articles ménagers. Si le futur époux en avait les moyens, il offrait parfois une esclave à sa fiancée. Les hommes mariés devaient subvenir aux besoins de leur famille. Les femmes prenaient soin des enfants et des personnes âgées. Des poèmes de l'Égypte ancienne montrent que les hommes et les femmes appréciaient grandement l'amour de leur partenaire. Dans l'un de ces textes, un jeune homme fait semblant d'être malade pour pousser celle qu'il aime à venir le voir. Dans un autre poème, seul le Nil en crue peut séparer les amoureux.

LA DÉESSE DE LA FERTILITÉ

La déesse égyptienne de la fertilité était Taoueret. La plupart du temps, elle était représentée comme une créature enceinte. Elle avait une tête d'hippopotame et des pattes de lion. Sa coiffure ressemblait à une queue de crocodile. Son air féroce devait éloigner les mauvais esprits pendant l'accouchement. Les femmes enceintes lui faisaient des prières et des offrandes. Les Égyptiennes avaient beaucoup d'enfants. Une femme pouvait passer huit ans ou plus de sa vie enceinte.

LES VERTUS FAMILIALES

L'Égypte ancienne était une civilisation paisible. Les Égyptiens suivaient une foule de règles sociales. Une jeune fille riche et célibataire ne pouvait pas rencontrer un jeune homme sans la présence d'un chaperon. Dans l'ensemble, les hommes respectaient les femmes. Dans d'autres cultures anciennes, les femmes vivaient à l'écart des hommes, parfois dans une autre partie de la maison. En Égypte, les familles aimaient passer du temps ensemble.

LE POUVOIR FÉMININ

Les épouses des nobles avaient un grand pouvoir, caché. À la cour royale, les femmes se rassemblaient parfois sous la protection de la déesse Hathor. Ensemble, elles demandaient à leurs époux de faire une certaine action qu'elles appuyaient. Elles gagnaient souvent leur cause. Le couple à gauche appartient certainement à la noblesse. Seuls les riches pouvaient se payer des coiffures aussi raffinées.

UN COUPLE DÉVOUÉ

La plupart des couples restaient mariés toute leur vie. Une femme pouvait tout aussi bien qu'un homme demander le divorce. La femme qui divorçait gardait les choses que le couple possédaient au début du mariage. Elle pouvait aussi prendre un tiers des biens communs du couple. Le mariage faisait partie de la conception égyptienne du bonheur. Il permettait d'avoir des enfants. Les enfants étaient considérés comme la plus grande des bénédictions.

LES NOCES

Cette peinture provient de la tombe de Sennufer, le maire de Thèbes. Elle illustre son mariage avec Meryt, une musicienne du temple d'Amon. Un prêtre bénit le couple avec de l'eau sacrée. D'autres peintures montrent le couple se tenant les épaules et les mains avec amour. Les maris et les femmes croyaient qu'ils se retrouveraient dans l'au-delà.

Les femmes et les enfants

Comparés à d'autres peuples anciens, les Égyptiens menaient une vie facile. Cela était dû aux bienfaits du Nil et à la douceur du climat. Les Égyptiens pouvaient cultiver autant de nourriture qu'ils en avaient besoin. Ils pouvaient donc nourrir de grandes familles. Dans d'autres cultures anciennes, les parents laissaient mourir les bébés non désirés.

En Égypte, tous les bébés étaient désirés. Mais les fils étaient considérés comme une bénédiction spéciale. Dans la plupart des familles, les femmes s'occupaient des enfants, faisaient le ménage et la cuisine. Elles prenaient soin des membres de la famille qui étaient malades. Elles les soignaient avec des plantes, priaient les dieux et appelaient un médecin au besoin. Les femmes riches avaient des esclaves ou des servantes pour faire le travail à leur place.

LES JEUX DES ENFANTS

Ces sculptures montrent des enfants portant des jouets en forme d'oiseaux. Ils les faisaient flotter sur l'eau comme des bateaux. Certains jeux modernes sont originaires de l'Égypte ancienne. Les enfants jouaient déjà à saute-mouton et à la souque à la corde.

TISSER, COUDRE, LAVER

Les femmes fabriquaient et lavaient les vêtements de la famille. Elles tissaient même le lin dans lequel les vêtements étaient cousus. S'il restait du tissu une fois les vêtements de la famille terminés, elles l'échangeaient au marché contre d'autres biens.

CLÉOPÂTRE

Cléopâtre VII (en haut, au centre) a été la dernière d'une longue lignée de souverains égyptiens. Au début, elle a partagé le pouvoir avec son père, puis avec ses frères. En -48, le général romain Jules César a envahi l'Égypte. Cléopâtre a alors épousé un commandant romain nommé Marc Antoine. Ensemble ils ont défié l'autorité de César. Conduite par Octave, l'armée de César a battu les troupes d'Antoine et de Cléopâtre en -30. Plutôt que d'affronter la défaite, Antoine et Cléopâtre se sont suicidés. L'Égypte est devenue une province de Rome.

LA REINE NÉFERTITI

La reine Néfertiti
a gouverné avec
son mari, Akhenaton.
Elle portait bien son
nom, qui signifie « la belle
est venue ». Elle est souvent
représentée debout à côté
de son époux comme son égale.
Le couple n'était pas très populaire.
Il a interdit l'adoration des anciens
dieux et affirmait qu'Akhenaton
était le fils du dieu-soleil. Par
la suite, Toutankhamon a rétabli
les dieux dans la faveur populaire.

LES TÂCHES FAMILIALES

Les femmes portaient
souvent leur bébé dans
une sorte de sac kangourou
en travaillant. Dès qu'ils
le pouvaient, les enfants
participaient aux tâches
ménagères.

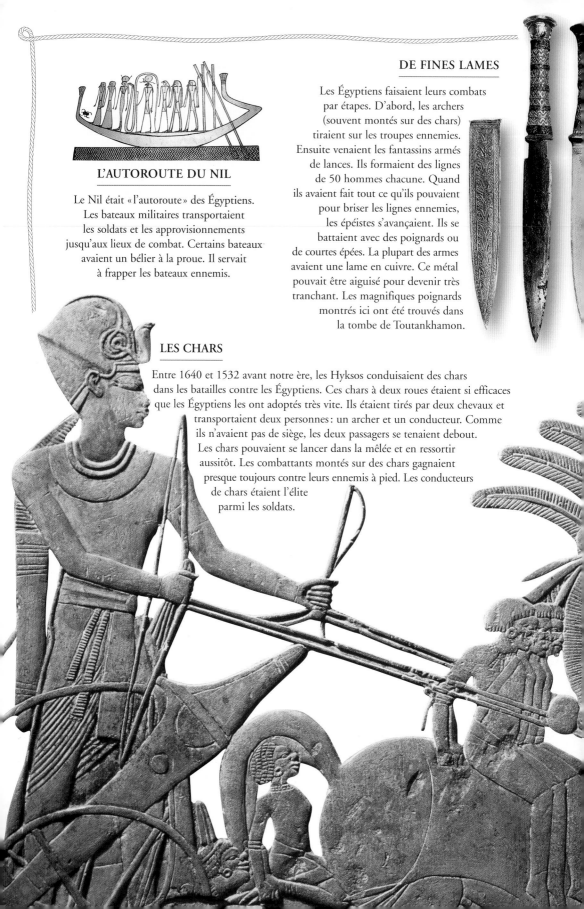

DE FINES LAMES

Les Égyptiens faisaient leurs combats par étapes. D'abord, les archers (souvent montés sur des chars) tiraient sur les troupes ennemies. Ensuite venaient les fantassins armés de lances. Ils formaient des lignes de 50 hommes chacune. Quand ils avaient fait tout ce qu'ils pouvaient pour briser les lignes ennemies, les épéistes s'avançaient. Ils se battaient avec des poignards ou de courtes épées. La plupart des armes avaient une lame en cuivre. Ce métal pouvait être aiguisé pour devenir très tranchant. Les magnifiques poignards montrés ici ont été trouvés dans la tombe de Toutankhamon.

L'AUTOROUTE DU NIL

Le Nil était «l'autoroute» des Égyptiens. Les bateaux militaires transportaient les soldats et les approvisionnements jusqu'aux lieux de combat. Certains bateaux avaient un bélier à la proue. Il servait à frapper les bateaux ennemis.

LES CHARS

Entre 1640 et 1532 avant notre ère, les Hyksos conduisaient des chars dans les batailles contre les Égyptiens. Ces chars à deux roues étaient si efficaces que les Égyptiens les ont adoptés très vite. Ils étaient tirés par deux chevaux et transportaient deux personnes: un archer et un conducteur. Comme ils n'avaient pas de siège, les deux passagers se tenaient debout. Les chars pouvaient se lancer dans la mêlée et en ressortir aussitôt. Les combattants montés sur des chars gagnaient presque toujours contre leurs ennemis à pied. Les conducteurs de chars étaient l'élite parmi les soldats.

La guerre et les armes

Entre 5000 et 3100 avant notre ère, l'Égypte était divisée en deux royaumes distincts, la Haute-Égypte et la Basse-Égypte. À cette époque, les combats étaient rares. Ceux qui avaient lieu opposaient souvent des groupes mal organisés. Vers -3100, le roi Ménès a uni les deux royaumes. Les années qui ont suivi ont été plutôt paisibles. Quand les pharaons avaient besoin de soldats, ils allaient chercher des fermiers. Plus tard, pendant le Nouvel Empire (de -1550 à -1070 environ), l'Égypte a étendu sa domination au-delà de la vallée du Nil. Elle a conquis la Nubie au sud, et Sumer et la Syrie au nord. Comme les ressources du Nil étaient abondantes, les Égyptiens n'avaient pas de raisons de se battre entre eux. Mais la richesse de l'Égypte faisait souvent l'envie d'autres pays. L'Égypte se montrait cruelle contre ses envahisseurs. Elle avait des armées efficaces d'archers, de conducteurs de chars et de fantassins. Le pharaon en personne conduisait l'armée dans les batailles importantes. Mais après de multiples invasions, l'Égypte a fini par être conquise.

DES GUERRIERS ROYAUX

Cette image montre Ramsès II en train de vaincre ses ennemis. Un récit décrit ainsi le combat du pharaon : « Sa Majesté les a massacrés sur place. Ils sont tombés devant ses chevaux. » Néfertiti, l'épouse du roi Akhenaton, a peut-être combattu aux côtés de son époux.

LE BRONZE POUR SE BATTRE

L'Égypte n'a pas inventé d'armes perfectionnées. Ses ennemis mieux armés, comme les Hyksos, étaient supérieurs à elle. Après s'être battus avec les Hyksos, les Égyptiens ont copié leurs armes en bronze et leur style d'armure et de casque.

L'APPARAT MILITAIRE

Avant une bataille, les soldats recevaient leurs armes en présence du pharaon, dans sa tenue royale étincelante. Les guerres étaient menées avec une grande solennité. Les trompettes conduisaient l'armée au combat. En tête, le char du pharaon était décoré d'une tête de bélier et d'un soleil symbolisant le dieu Amon-Rê. D'autres dieux, y compris le dieu de la lune, Khonsou, montré ici, étaient parfois représentés.

Les crimes et les châtiments

Les lois égyptiennes étaient strictes, et les châtiments sévères. Les personnes coupables de falsification (signer pour quelqu'un d'autre) avaient les mains coupées. Quelqu'un qui parlait de renverser le pharaon avait la langue coupée. Les femmes enceintes qui commettaient un crime étaient punies seulement après l'accouchement. Un soldat coupable d'un crime devait se racheter en faisant une action courageuse. Une femme infidèle risquait de se voir trancher le nez. Tout le monde avait le devoir d'empêcher ou de signaler les crimes. Chacun devait aussi aider les personnes en danger. Les pharaons essayaient de protéger les citoyens contre le crime. Ils croyaient que leur bien-être rejaillirait sur la société. Dans l'Égypte ancienne, l'un des crimes les plus courants était de voler les richesses dans les tombeaux des pharaons morts depuis longtemps. Le premier pillage de tombe a eu lieu vers -1100. Dans les tombes, des avertissements mettaient les pilleurs en garde contre la colère et la vengeance des dieux.

ESPÈCES SONNANTES

Les Égyptiens ont eu des pièces de monnaie à partir d'environ -300. Auparavant, ils échangeaient des produits de valeur égale. Si une personne fabriquait de la fausse monnaie, on lui coupait les mains. La pièce d'or ci-dessus date de l'époque de Cléopâtre, vers -40.

LE DIEU QUI VOIT TOUT

Selon la légende, Osiris, le dieu des morts, avait déjà été pharaon. Son frère Seth, dieu des tempêtes et de la guerre, était jaloux de lui. Il a donc tué Osiris et découpé son corps en morceaux. Mais Isis, l'épouse d'Osiris, a trouvé les morceaux et les a recollés. Le couple a eu un fils, Horus, dieu du jour et de l'air. Ce dieu qui voyait tout protégeait les citoyens d'Égypte. Il veillait à ce que les crimes non punis des vivants soient jugés après leur mort.

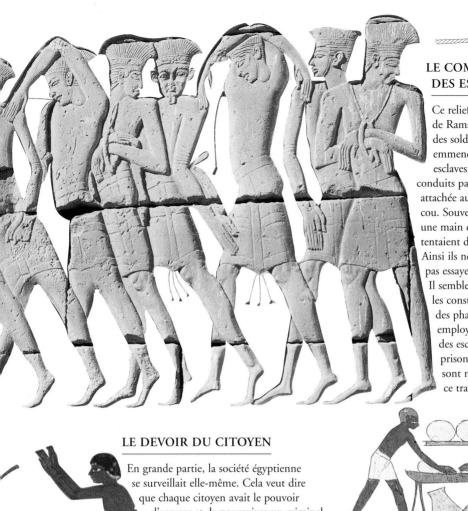

LE COMMERCE DES ESCLAVES

Ce relief du temple de Ramsès II montre des soldats vaincus emmenés comme esclaves. Ils sont conduits par une corde attachée autour de leur cou. Souvent, on coupait une main des esclaves qui tentaient de s'échapper. Ainsi ils ne pouvaient pas essayer de nouveau. Il semble que les constructions des pharaons employaient surtout des esclaves et des prisonniers. Beaucoup sont morts en faisant ce travail dangereux.

LE DEVOIR DU CITOYEN

En grande partie, la société égyptienne se surveillait elle-même. Cela veut dire que chaque citoyen avait le pouvoir d'accuser et de poursuivre un criminel. Ne pas le faire était un crime en soi. Les témoins de crimes qui ne faisaient pas leur devoir étaient battus avec des branches.

L'OBLIGATION DE DÉCLARER

Les boulangers (ci-dessus), les bergers, les scribes devaient tous remettre au gouvernement un rapport qui décrivait leur emploi. Si une personne était incapable de dire comment elle gagnait sa vie légalement, on supposait qu'elle violait la loi. Cette personne était alors exécutée.

DES CŒURS ET DES PLUMES

Les Égyptiens croyaient que les morts devaient être jugés avant d'entrer au paradis. La déesse de la vérité, Maât, mettait une plume dans une balance. Puis elle déposait le cœur du défunt sur l'autre plateau. Si les deux poids n'étaient pas égaux, le mort n'avait pas droit à la vie éternelle. Le scribe divin Thot notait les résultats. Thot est représenté ici sous la forme d'un babouin essayant d'attraper un voleur.

Le transport et les sciences

Les anciens Égyptiens vivaient confortablement. Ils étaient satisfaits de refaire les choses de la même façon qu'elles étaient faites depuis des siècles. Ils inventaient peu de nouvelles méthodes et de nouveaux outils. Ils ont tout de même créé le premier tour de potier. Cet outil est encore utilisé de nos jours. Les Égyptiens profitaient des ressources de leur environnement. Leurs monuments montrent qu'ils excellaient dans la construction d'ouvrages en pierre. Leurs édifices révèlent leurs talents d'architectes. Le papyrus, un grand jonc qui pousse sur les bords du Nil, leur était très utile. Ils fabriquaient tout, du papier jusqu'aux bateaux, avec cette plante. Les Égyptiens avaient une bonne connaissance des plantes et des animaux. Ils connaissaient la grosseur de la Terre. Leurs mathématiques étaient basées sur un système décimal. Ils ont étudié le ciel et établi un calendrier précis.

LA CHAISE COUVERTE

En ville, les personnages importants se déplaçaient dans une chaise couverte. Les serviteurs tenaient la chaise par deux perches glissées dessous. Pour s'encourager, ils chantaient : « Nous préférons la porter pleine que vide. »

LE CALENDRIER ÉGYPTIEN

Les prêtres ont étudié les mouvements des corps célestes. Ensuite, ils ont établi un calendrier annuel qui comptait 365 jours. Ils ont regroupé les jours en 12 mois égaux de 30 jours. Il restait 5 jours en trop. Ils ont divisé les jours en heures et mesuraient le temps avec des cadrans solaires et des horloges à eau.

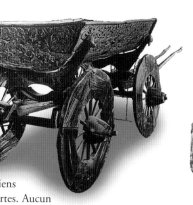

LES VÉHICULES À ROUES

Les Sumériens ont sans doute fabriqué les premiers véhicules à roues il y a environ 5000 ans. Les Égyptiens les ont copiés et en ont construit toutes sortes. Aucun n'a survécu. Le véhicule ci-dessus date du 9e siècle.

LA DÉESSE DU CIEL

Les prêtres avaient le devoir d'étudier le ciel. C'est pourquoi ils étaient aussi des astronomes. Les prêtres égyptiens ont trouvé cinq planètes et compris leur mouvement orbital. Ils ont essayé d'expliquer les événements célestes par la religion. Par exemple, ils croyaient que Nout, la déesse du ciel, provoquait la nuit en descendant du ciel pour rendre visite à son mari, Geb, le dieu de la terre. Ils pensaient aussi que Nout produisait les éclipses en s'échappant parfois pendant la journée pour aller voir son époux.

DES BATEAUX EN PAPYRUS

Le bois était rare en Égypte. Les fabricants de bateaux faisaient des ballots de papyrus. Ensuite ils les fixaient à une structure avec des courroies. Plusieurs couches de ballots rendaient le bateau imperméable. Beaucoup de bateaux étaient dirigés avec de longues perches fourchues. Les excursions de pêche commençaient parfois par un jeu qui consistait à essayer de faire chavirer le bateau de son voisin. C'était seulement pour s'amuser.

LA FABRICATION DU PAPIER

Des tranches minces de tiges de papyrus étaient pressées ensemble. Une colle, fabriquée avec la sève, liait les couches superposées en une seule feuille. Cela donnait un papier très résistant. Les feuilles de papyrus pouvaient être nettoyées puis réutilisées.

LE TRANSPORT SUR L'EAU

Ce modèle, trouvé dans une tombe, ressemble sans doute à de nombreux bateaux qui naviguaient sur le Nil. Les voyages sur l'eau étaient beaucoup plus courants que sur la terre. Mais les Égyptiens entretenaient quand même des routes le long des canaux qu'ils creusaient.

THOT

Les Égyptiens considéraient Thot, le dieu
de la lune, comme l'intelligence de l'univers.
Selon eux, Thot a enseigné à son peuple la langue,
l'écriture, l'art, la musique, l'architecture et
les mathématiques. Il est souvent représenté
comme un ibis. L'ibis est un oiseau dont le bec
recourbé fait penser à un croissant de lune.
Thot prenait parfois la forme d'un babouin.

ANUBIS

Anubis était le dieu de l'embaumement
et des cimetières. Son symbole était
le chacal. Le prêtre montré ici porte
un masque de chacal. Il fait le rite
de l'Ouverture de la bouche, qui
accompagnait la momification.
La bouche ouverte devait permettre
à l'âme du mort de s'échapper
pour son voyage dans l'au-delà.

LE SPHINX

Ce monument géant est situé à Gizeh,
sur la route qui mène à la pyramide
où le roi Khaphren a été enterré. Il a
le corps d'un lion accroupi et le visage
de Khaphren lui-même. Il a été sculpté
dans un bloc de roche vers -2500.
Il a peut-être été construit pour
garder la tombe de Khaphren.

LE LIVRE DES MORTS

Les anciens Égyptiens voyaient
la mort comme un passage entre cette vie
et l'au-delà. Ils croyaient que la vie après
la mort était encore meilleure que la vie
sur terre. Le *Livre des Morts* (détail
d'un papyrus à droite) était enterré avec
le corps. Le mort devait réciter les paroles
magiques contenues dans le livre pour
arriver sans danger dans sa nouvelle vie.

La religion

La religion égyptienne peut sembler compliquée. Elle comptait des centaines de dieux et de déesses. Beaucoup avaient la forme d'un animal, et parfois les prêtres portaient un masque d'animal pour faire croire qu'ils étaient un dieu. Les derniers souhaits de Ramsès III étaient simples. Il a demandé aux dieux une fin heureuse et, pour son fils, un règne long, rempli d'honneurs et béni par les inondations du Nil. De nombreuses bibliothèques contenaient surtout des écrits sacrés. Plusieurs parlaient de la vie après la mort. Les morts faisaient un voyage long et difficile à travers les enfers. L'âme devait surmonter de nombreux obstacles. Pour faciliter le voyage, les corps étaient momifiés. Des livres et des tablettes contenant des paroles magiques étaient enterrés avec eux. Ils devaient écarter les mauvais esprits de leur chemin. À la fin du voyage, on vérifiait s'ils avaient bon cœur. Un démon mangeait le cœur de ceux qui échouaient le test.

LE TEMPLE DE KARNAK

La construction du magnifique temple de Karnak a commencé au 16e siècle avant notre ère. Ce temple, comme bien d'autres, était dédié à Amon-Rê, protecteur des pharaons. Amon-Rê est apparu quand un dieu local, Amon, est devenu populaire. Au lieu de détrôner l'ancien dieu, Rê, les souverains ont assemblé les deux pour créer Amon-Rê. Celui-ci était le « vrai dieu » du Nouvel Empire.

LE TRIO SACRÉ

Les Égyptiens croyaient en une trinité divine représentée par le dieu Amon-Rê. La trinité était formée par Amon (le père), Mout (la mère) et Khonsou (le fils), montrés ci-dessus.

ISIS

Cette statue montre la déesse Isis allaitant son fils Horus. Isis était une déesse de la fertilité. Elle était liée à la Terre-mère et au cycle de la naissance, de la mort et de la renaissance dans l'au-delà. Les pharaons la voyaient comme leur mère. La déesse Hathor, représentée par une vache, était une autre figure maternelle. Les vaches étaient associées à la santé et à la richesse de la vie.

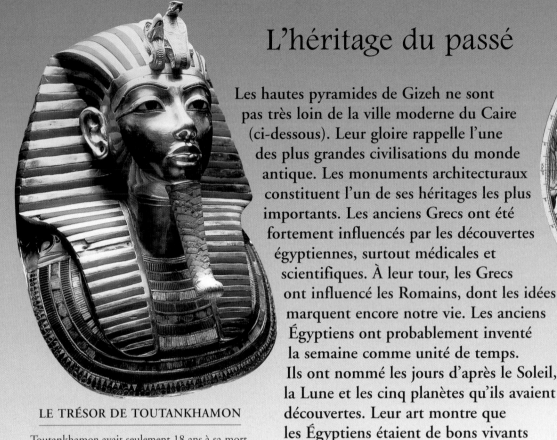

L'héritage du passé

Les hautes pyramides de Gizeh ne sont
pas très loin de la ville moderne du Caire
(ci-dessous). Leur gloire rappelle l'une
des plus grandes civilisations du monde
antique. Les monuments architecturaux
constituent l'un de ses héritages les plus
importants. Les anciens Grecs ont été
fortement influencés par les découvertes
égyptiennes, surtout médicales et
scientifiques. À leur tour, les Grecs
ont influencé les Romains, dont les idées
marquent encore notre vie. Les anciens
Égyptiens ont probablement inventé
la semaine comme unité de temps.
Ils ont nommé les jours d'après le Soleil,
la Lune et les cinq planètes qu'ils avaient
découvertes. Leur art montre que
les Égyptiens étaient de bons vivants
qui aimaient beaucoup leurs familles.
Leur poésie est remplie d'images et
d'idées qui sont encore vivantes
aujourd'hui.

LE TRÉSOR DE TOUTANKHAMON

Toutankhamon avait seulement 18 ans à sa mort,
vers -1344. Sa tombe n'a été ouverte qu'en 1922.
C'est la seule tombe d'un pharaon qui n'avait pas été
pillée. Les fabuleux bijoux, objets et œuvres d'art
ensevelis avec lui ont donné au monde moderne
un aperçu inégalé de la vie dans l'Égypte ancienne.
Ces trésors ont été présentés dans le monde entier.
Le plus célèbre est sans doute son masque funéraire
(ci-dessus) en or décoré de lapis-lazuli,
une pierre précieuse bleue.

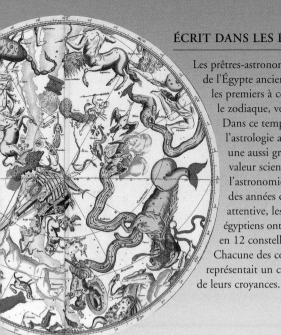

ÉCRIT DANS LES ÉTOILES

Les prêtres-astronomes de l'Égypte ancienne ont été les premiers à concevoir le zodiaque, vers -2500. Dans ce temps-là, l'astrologie avait une aussi grande valeur scientifique que l'astronomie. Après des années d'observation attentive, les astronomes égyptiens ont divisé le ciel en 12 constellations. Chacune des constellations représentait un certain aspect de leurs croyances.

architrave   capital

UNE ARCHITECTURE UNIQUE

De bien des façons, l'architecture égyptienne est différente des styles de construction européens. Elle ressemble davantage à l'architecture des Aztèques et des Incas, en Amérique. L'emploi de blocs de forme irrégulière et les joints parfaits sont deux caractéristiques frappantes des monuments égyptiens. Le style des colonnes en est une autre. Dans l'image ci-dessus, des blocs carrés posés sur le chapiteau supportent l'architrave.

LE TOUR DE POTIER

Le tour de potier est l'un des cadeaux les plus durables qui nous est venu de l'Égypte ancienne. Il a été inventé vers -4000. Il a permis de produire des poteries complexes en grande quantité. Le tour de potier moderne, comme celui de l'Égypte ancienne, est actionné par une simple pédale.

LE SAVAIS-TU ?

Les Égyptiens ont été les premiers à employer l'aromathérapie. Beaucoup d'aspects de la médecine moderne sont nés il y a très, très longtemps. Par exemple, les anciens Égyptiens guérissaient déjà un grand nombre de troubles respiratoires, musculaires ou liés au stress grâce à l'aromathérapie. Les essences extraites des plantes apaisaient les patients. Ceci permettait aux dieux de les guérir. Les médecins modernes recommencent à apprécier les bienfaits de l'aromathérapie dans le traitement de diverses affections.

Les Égyptiens ont été les premiers à étudier l'astronomie. Les humains ont toujours observé les phénomènes naturels comme les saisons et adapté leur vie en conséquence. Grâce à leur connaissance des mathématiques, les anciens Égyptiens ont remarqué que certains événements comme les éclipses se reproduisaient régulièrement. Ils ont compris qu'ils pouvaient prédire ces phénomènes avec précision. Ces découvertes ont été intégrées à des rituels religieux. Par exemple, ils ont observé que l'étoile Sirius, dans la constellation du Chien, apparaissait à un point précis du ciel juste avant la crue annuelle du Nil. Les prêtres célébraient cet événement par une cérémonie consacrée à la fertilité.

Les tombeaux des pharaons étaient protégés par une malédiction. Les Égyptiens voulaient protéger les pharaons morts et leurs possessions pendant leur voyage vers l'au-delà. C'est pourquoi ils ont prononcé une malédiction contre les pilleurs. Celle-ci disait que toute personne qui entrait dans leur tombeau mourrait. Curieusement, après la découverte du tombeau de Toutankhamon en 1922, plusieurs personnes qui étaient présentes lors de cet événement sont décédées de mort violente.

Lord Carnarvon, qui avait payé l'expédition, est mort cinq mois plus tard d'une piqûre de moustique qui s'est infectée. Les archéologues ont détecté du poison dans les peintures sur les murs des tombeaux. Ces peintures ont pu, dans certains cas, contribuer à ce que la malédiction se réalise !

Les temples d'Abou Simbel ont été reconstruits à l'époque moderne. Dans les années 1960, le gouvernement égyptien a décidé de construire un énorme barrage sur le Nil. Le barrage d'Assouan devait permettre de remédier à la pénurie d'eau en Égypte. Mais la construction du barrage risquait d'inonder plusieurs sites archéologiques importants. Parmi eux, il y avait les temples de la reine Néfertiti et du pharaon Ramsès II à Abou Simbel. Une opération internationale a été organisée afin de sauver ces sites. Les gigantesques temples et statues ont été soigneusement démantelés, et leurs pièces numérotées. Ensuite, ils ont été reconstruits à 210 mètres du bord de la rivière.

Les Égyptiens ont peut-être inventé le zéro. Le zéro ne se comporte pas comme les autres chiffres : on ne s'en sert pas pour compter ; quand on le multiplie par un autre chiffre, le résultat est toujours zéro ; si on l'ajoute à droite de n'importe quel chiffre, celui-ci est multiplié par 10. Les Égyptiens ont été les premiers à comprendre la nécessité d'employer le zéro pour tenir les comptes. Ils le trouvaient utile pour montrer le résultat quand ils soustrayaient deux nombres égaux l'un de l'autre.

REMERCIEMENTS

L'éditeur de la version orginale remercie Graham Rich, Elizabeth Wiggans et David Hobbs.

Sources des images

h=haut, b=bas, c=centre, g=gauche, d=droite, PDC=première de couverture, QDC=quatrième de couverture

AKG ; 27hd. Ancient Art and Architecture ; PDC (image centrale), 4hg, 10bd et PDC, 11hd, 17bd, 19bd, 21bd, 20/21ch, 22hd, 23bd, 24hg, 30hg et PDC. Ann Ronan chez Image Select ; 7d, 8h, 8c, 13hd, 15c, 16g, 18/19c. Chris Fairclough Colour Library /Image Select ; 2/3ch, 6bg, 14/15ch, 16cd. et archive ; 7bg, 10/11c, 16/17ch, 22b, 28/29cb. Giraudon ; 29hd. Image Select ; 10bg, 13bg, 14hg, 21c et 32c, 27cd, 28c. National Maritime Museum, Londres ; 31hg. PIX ; 2bg, 3cg, 6/7c et QDC, 15hd, 15cg et QDC, 20hg, 20bg, 22hg, 23cb, 24bg, 28/29ch, 31hd. Spectrum Colour Library ; 20bd, 27bd, 31g, 30/31(image de fond). Werner Forman Archive ; 2hd, 3cd, 3bd, 4bg, 5bd, 5hd, 5c, 4/5c, 7hd, 8g et PDC, 8bg, 9hd, 9bd, 8/9c, 10hg, 10/11ch, 11bd, 12bd, 12g, 13bd, 13c et QDC, 13cd et PDC, 14bg, 16/17cb, 17hd, 18hg, 18bg et QDC, 19c, 19hd, 23hd, 24/25c, 25h, 25bd, 26hg, 26bg, 26/27c, 28g, 28d.